Chipotle aïoli et légumes vapeur

Chipotle aïoli et légumes vapeur

Préparation : 1 h Cuisson : 30 min

INGRÉDIENTS POUR 4 PERSONNES

L'AÏOLI
7 piments chipotle sauce adobo
25 g d'ail haché grossièrement
10 g de sel fin
25 cl de lait
50 g d'huile d'olive
500 g d'huile de tournesol
Le jus de ½ citron vert

LA GARNITURE
1 botte de radis
½ concombre
½ chou-fleur
200 g de pommes de terre rattes
200 g de haricots verts
½ botte d'asperges vertes
2 œufs
400 g de dos de cabillaud
Huile d'olive
Piment d'Espelette

RÉALISATION

L'AÏOLI
Enlevez la tige et les pépins des piments puis mettez tous les ingrédients dans le bol d'un mixeur. Mixez quelques secondes de façon à obtenir un bel aïoli sans gros morceaux à l'intérieur. Réservez-le au frais.

LA GARNITURE
Nettoyez et séchez tous les légumes. Faites cuire les pommes de terre, les asperges, les sommités de chou-fleur et les haricots verts à la vapeur ou à l'anglaise selon vos goûts.

Faites cuire les œufs 8 min dans une eau bouillante.

Préchauffez le four à 200 °C.

Déposez le dos de cabillaud dans un plat. Assaisonnez-le de sel, de poivre et de piment puis badigeonnez-le d'huile d'olive et enfournez pour 15 min.

Taillez le concombre en bâtonnets sans l'éplucher et détachez les radis de la botte.

Dans un grand plat, déposez un bol d'aïoli, le dos de cabillaud et toutes les garnitures. Dégustez en trempant les garnitures dans l'aïoli.

Tartare d'avocat, jaune d'œuf confit

Tartare d'avocat, jaune d'œuf confit

Préparation : 20 min Réfrigération : 5 jours Cuisson : 2 h

INGRÉDIENTS POUR 4 PERSONNES

2 avocats (pas trop mûrs)

LES JAUNES D'ŒUFS SÉCHÉS

100 g de gros sel
100 g de sucre
1 c. à s. de piment d'Espelette
1 c. à c. de piment de Cayenne en poudre
6 jaunes d'œufs

LA VINAIGRETTE

1 c. à s. de moutarde à l'ancienne
50 g d'huile de tournesol
50 g d'huile d'olive
2 c. à s. de vinaigre de vin
Le jus de ½ citron jaune

RÉALISATION

LES JAUNES D'ŒUFS SÉCHÉS

Dans un saladier, mélangez le gros sel avec le sucre et les piments.
Étalez la moitié de ce mélange dans un récipient et à l'aide de la coque d'un œuf, réalisez 6 petits trous comme des nids. Déposez 1 jaune d'œuf par trou et couvrez-les avec l'autre moitié du mélange sel, sucre, piments. Conservez au réfrigérateur pendant 5 jours idéalement, fermez hermétiquement.

Après 5 jours, rincez délicatement sous un filet d'eau froide de façon à enlever le sel et le sucre.
Préchauffez le four à 70 °C.
Déposez ensuite les jaunes sur une grille couverte d'un papier sulfurisé et faites-les sécher au four pendant 2 h. Laissez refroidir et conservez au frais. Les jaunes peuvent se garder 2 semaines dans une boîte hermétique.

LES AVOCATS ET LA VINAIGRETTE

Ouvrez les avocats en deux. Retirez le noyau, laissez la peau et quadrillez la chair en faisant des entailles.

Mélangez au fouet tous les ingrédients de la vinaigrette, rectifiez l'assaisonnement. Déposez 1 c. à s. de vinaigrette sur les avocats et dans les entailles.

FINITION

Râpez du jaune d'œuf séché de façon à recouvrir chaque moitié d'avocat d'une fine couche et dégustez aussitôt à l'aide d'une cuillère.

Marmite du pêcheur

Marmite du pêcheur

Préparation : 2 h Cuisson : 1 h 30

INGRÉDIENTS POUR 4 PERSONNES

1 kg de petits poissons de roche (rascasse, chapon, vieille, rouget grondin)
1 oignon
1 carotte
1 poireau
1 tomate allongée
1 c. à c. de graines de fenouil
1 anis étoilé
1 pincée de safran
2 branches de thym
2 feuilles de laurier
1 branche de céleri
½ verre de pastis
2,5 L d'eau froide
2 pincées de piment d'Espelette
1 filet de rascasse coupé en deux
10 pommes de terre rattes cuites à la vapeur
Huile d'olive
Quelques moules et palourdes (facultatif)

RÉALISATION

Taillez les petits poissons en gros morceaux sans les vider et faites-les colorer dans une cocotte avec un filet d'huile d'olive pendant une dizaine de minutes à feu vif en remuant régulièrement.

Épluchez l'oignon et la carotte, nettoyez le poireau puis taillez tous les légumes en gros morceaux. Ajoutez-les dans la cocotte avec les épices (fenouil, anis et safran), les herbes aromatiques (thym, laurier) et des dés de céleri branche. Mélangez et laissez cuire 3 min puis déglacez au pastis.

Versez l'eau froide, salez, poivrez, pimentez et laissez mijoter 1 h à feu moyen.
Dès que le mélange bout, baissez le feu et poursuivez la cuisson pendant 30 min. Mixez l'ensemble, passez au tamis, transvasez dans la cocotte nettoyée et laissez réduire à feu doux.

Assaisonnez les filets de rascasse d'huile d'olive, de sel et de piment.

Déposez-les délicatement dans la cocotte. Laissez cuire 4 min environ puis récupérez les filets délicatement à l'aide d'une écumoire et déposez-les dans des assiettes creuses. Versez une belle louche de soupe dans les assiettes. Servez avec des pommes de terre cuites à la vapeur et réchauffées dans un peu de soupe pour qu'elles en prennent le goût. Ajoutez quelques moules et palourdes juste ouvertes en marinières ou à l'huile d'olive.

Fait maison :
Le bouillon de légumes

Fait maison :
Le bouillon de légumes

Préparation : 15 min Cuisson : 1 h 30

INGRÉDIENTS POUR 1,5 L DE BOUILLON

2 oignons
2 carottes
1 blanc de poireau
200 g de champignons de Paris
1 c. à s. d'huile d'olive
2,5 L d'eau
1 gousse d'ail
6 grains de poivre
Queues de persil
Branches de thym frais

RÉALISATION

Épluchez, rincez et taillez oignons, carottes, poireau et champignons de Paris en morceaux.

Dans une casserole, chauffez l'huile d'olive et faites revenir tous les légumes pendant quelques minutes en les remuant. Le but n'est pas de les colorer, mais seulement de les saisir pour concentrer les saveurs. Versez l'eau, ajoutez l'ail, le persil, le thym et les grains de poivre. Portez à ébullition.

Baissez le feu et laissez cuire à petits frémissements pendant 1 h 30 sans couvrir.

Filtrez le bouillon au tamis et faites-le refroidir aussitôt sauf si vous l'utilisez immédiatement.

Vous pouvez le conserver 5 jours au frais, 3 mois au congélateur.

Fait maison : Le bouillon de volaille

Fait maison : Le bouillon de volaille

Préparation : 15 min Cuisson : 1 h 20

INGRÉDIENTS POUR 1,5 L DE BOUILLON

1 oignon
2 carottes
1 gousse d'ail
1 blanc de poireau
1 kg de carcasse de volaille ou d'ailerons
2,5 L d'eau
2 branches de thym frais
1 branche de laurier
5 grains de poivre
1 pincée de sel

RÉALISATION

Épluchez, rincez et taillez oignon, carottes, ail et poireau en morceaux.

Dans une marmite, déposez les carcasses de volailles et couvrez d'eau froide à hauteur. Portez à ébullition et écumez les impuretés. Ajoutez les légumes, les aromates, le sel et le poivre.

Laissez cuire à petits frémissements pendant 1 h 15. Écumez le bouillon tout au long de la cuisson pour enlever les impuretés.

Filtrez le bouillon au tamis et faites-le refroidir aussitôt sauf si vous l'utilisez immédiatement.

Vous pouvez le conserver 5 jours au frais, 3 mois au congélateur.

Fait maison :
Jus de viande inratable

Fait maison :
Jus de viande inratable

Préparation : 30 min Cuisson : 2 h

INGRÉDIENTS POUR 400 G DE JUS ENVIRON

1 oignon
3 gousses d'ail
1 carotte
1 c. à s. d'huile de tournesol
1 kg de parures de veau découpées en petits morceaux
80 g de beurre
1 c. à c. de concentré de tomates
1 verre de vin blanc
1,5 L d'eau
1 branche de laurier
3 branches de thym frais

RÉALISATION

Épluchez, rincez et taillez oignon, ail et carotte en morceaux.

Dans une sauteuse très chaude, versez l'huile de tournesol. Faites revenir les parures de veau et faites-les bien colorer – plus elles le sont, plus le jus aura du goût. Attention à ne pas les faire brûler sinon le jus dégagera une forte amertume –, tout en mélangeant régulièrement.

Baissez le feu, ajoutez le beurre et enrobez bien les morceaux pour obtenir une caramélisation homogène. Ajoutez les légumes et le concentré de tomates. Mélangez et laissez cuire à feu doux 5 min en mélangeant constamment. Déglacez avec le vin blanc pour détacher les sucs, laissez réduire et mouillez à hauteur avec l'eau. Ajoutez le laurier et le thym. Laissez cuire 1 h 45 à feu doux en écumant au fur et à mesure pour enlever les impuretés puis filtrez.

Si vous voulez une consistance très liée et un jus corsé, n'hésitez pas après filtration à le faire réduire encore plus dans une petite casserole à feu doux pendant quelques minutes.

Vous pouvez le conserver 5 jours au frais, 3 mois au congélateur.

Roulé de poireaux vinaigrette au tourteau

Roulé de poireaux vinaigrette au tourteau

Préparation : 45 min Cuisson : 15 min Réfrigération : 3 h

INGRÉDIENTS POUR 4 PERSONNES

LES ROULÉS DE POIREAUX

2 gros poireaux entiers
2 œufs durs
300 g de chair de tourteau
1 c. à s. d'huile d'olive
2 c. à s. de ciboulette ciselée
1 citron jaune
1 échalote ciselée
Fleur de sel
Poivre concassé

LA VINAIGRETTE

4 c. à s. d'huile d'olive
3 c. à s. de vinaigre de vin rouge
1 c. à s. de moutarde

RÉALISATION

LES ROULÉS DE POIREAUX

Retirez les premières feuilles du poireau, ôtez l'excédent de vert et rincez pour enlever la terre.
Chauffez une grande casserole d'eau bien salée. À ébullition, plongez les poireaux et laissez cuire 15 min puis débarrassez-les dans une eau glacée pour les refroidir. Taillez les poireaux refroidis en deux sur la longueur, séparez les couches entre elles et réservez-les au frais.

Taillez les œufs durs en deux. Séparez les jaunes des blancs. Hachez grossièrement les blancs et déposez-les dans un saladier. Ajoutez la chair de tourteau, l'huile d'olive, la ciboulette, un filet de jus de citron, l'échalote et assaisonnez de sel et de poivre.

Étalez une couche de film plastique sur le plan de travail. Déposez des bandes de poireaux cuits collées entre elles les unes aux autres (environ 8 bandes par cannelloni). Déposez la farce de tourteau dessus sur la longueur et roulez le cannelloni à l'aide du film plastique, refermez le cannelloni en serrant de plus en plus au fur et à mesure afin d'avoir une forme cylindrique, serrez les 2 extrémités et placez minimum 3 h au frais.

LA VINAIGRETTE

Mélangez tous les ingrédients de la vinaigrette au fouet. Rajoutez 1 pincée de sel et de poivre.

DRESSAGE

Ôtez le film plastique des cannellonis. Disposez-les sur les assiettes et versez la vinaigrette dessus. Saupoudrez d'une pincée de fleur de sel et de poivre concassé.

Cannellonis farcis au bœuf bourguignon

Cannellonis farcis au bœuf bourguignon

Préparation : 45 min Cuisson : 2 h 30

INGRÉDIENTS POUR 4 PERSONNES

LE BŒUF BOURGUIGNON

2 carottes
1 oignon
2 gousses d'ail
200 g de champignons de Paris
1 kg de morceaux de bœuf type macreuse
30 g de farine
1 L de vin rouge de Bourgogne
20 cl de bouillon de bœuf
1 bouquet garni
100 g de lardons
Huile de tournesol
1 boîte de 12 cannellonis

LA SAUCE BÉCHAMEL

60 g de beurre
30 g de farine
35 cl de lait
100 g de crème liquide
200 g de gruyère râpé
Noix de muscade
Parmesan râpé

RÉALISATION

Faites cuire les cannellonis dans de l'eau bouillante salée pendant 5 min puis plongez-les aussitôt dans de l'eau glacée. Réservez au frais.

LE BŒUF BOURGUIGNON

Préchauffez le four à 180 °C.
Épluchez les carottes, l'oignon et les gousses d'ail. Taillez le pied des champignons. Coupez l'oignon en quatre.
Dans une cocotte chaude avec un filet d'huile de tournesol, faites dorer les morceaux de bœuf à feu vif. Ajoutez les légumes. Baissez à feu doux. Mélangez et faites cuire 2 à 3 min. Saupoudrez la viande et les légumes de farine. Versez le vin rouge et le bouillon de bœuf. Ajoutez le bouquet garni, salez, poivrez, couvrez et laissez mijoter à feu doux pendant 2 h.
Pendant ce temps, dans une poêle, faites suer les lardons puis déposez-les sur du papier absorbant pour enlever le gras et mettez-les dans la cocotte.
À l'issue de la cuisson, enlevez le bouquet garni. Passez le contenu de la cocotte au tamis de façon à récupérer le jus de cuisson. Hachez grossièrement tous les ingrédients ensemble au couteau. Déposez cette farce dans une poche à douille et farcissez les cannellonis puis déposez-les dans un plat.

LA SAUCE BÉCHAMEL

Dans une casserole, réalisez un roux avec le beurre, la farine et la crème liquide. Versez petit à petit le jus de cuisson et le lait. Mélangez à feu doux au fouet jusqu'à ce que la béchamel épaississe, ajoutez le gruyère râpé. Salez, poivrez et râpez un peu de muscade.

Versez la sauce sur les cannellonis, saupoudrez de parmesan râpé et laissez gratiner au four position grill.

Carpaccio de crevettes, sauce cocktail

Carpaccio de crevettes sauce cocktail

Préparation : 30 min

INGRÉDIENTS POUR 2 PERSONNES

LA SAUCE COCKTAIL

150 g de mayonnaise maison (voir la fiche recette « Œufs mayonnaise crispy bacon et sauge »)
3 c. à s. de ketchup
2 c. à c. de sauce Worcestershire
6 gouttes de Tabasco®
1 c. à s. de cognac

LE CARPACCIO

8 crevettes ou gambas fraîches décortiquées
2 c. à s. d'huile d'olive
½ citron vert
1 avocat
2 pincées de piment d'Espelette
¼ d'oignon rouge
Quelques feuilles de coriandre
Fleur de sel

RÉALISATION

LA SAUCE COCKTAIL

Mélangez tous les ingrédients de la sauce et assaisonnez de sel et de poivre. Réservez au frais.

LE CARPACCIO

Décortiquez les crevettes, enlevez le boyau et déposez-les sur une feuille de papier sulfurisé badigeonné d'huile d'olive. Déposez une seconde feuille de papier sulfurisé sur les crevettes et tapez avec le cul d'une casserole ou une grosse lame de couteau pour les aplatir.

Ensuite, essayez de reproduire la forme de l'assiette avec le couteau dans le papier sulfurisé.

Retirez la couche supérieure de papier sulfurisé en veillant à ce que la chair des crevettes reste sur la feuille inférieure. Retournez le papier sur une assiette afin de déposer les crevettes. Retirez la couche de papier sulfurisé et zestez un peu de citron vert sur le carpaccio. Réservez au frais.

Taillez la chair de l'avocat en petits cubes. Déposez-les sur une petite plaque et assaisonnez avec un filet d'huile d'olive, le jus de citron, le piment et de la fleur de sel.

Déposez les cubes d'avocat sur le carpaccio et décorez harmonieusement de points de sauce cocktail. Versez un filet d'huile d'olive et déposez quelques lamelles d'oignons rouges. Salez à la fleur de sel et ajoutez quelques feuilles de coriandre.

Dégustez bien frais.

Carré d'agneau en croûte de pain d'épices et fine purée

Carré d'agneau en croûte de pain d'épices et fine purée

Préparation : 1 h Cuisson : 2 h 30

INGRÉDIENTS POUR 4 PERSONNES

LA PURÉE

1 kg de pommes de terre à purée
25 cl de lait
250 g de beurre

LE CARRÉ D'AGNEAU

300 g de pain d'épices sans croûte coupé en morceaux
220 g de beurre pommade
1 gousse d'ail hachée
1 carré d'agneau de 8 côtes
Huile d'olive

RÉALISATION

LA PURÉE

Faites cuire les pommes de terre non épluchées dans de l'eau bouillante salée. Épluchez-les et passez la chair au presse-purée. Dans une casserole, chauffez le lait et le beurre ensemble. Dans une autre casserole, desséchez la pulpe de pomme de terre à feu vif en remuant constamment à la spatule puis versez au fur et à mesure le mélange lait et beurre en fouettant jusqu'à l'obtention d'une fine purée. Salez et réservez.

LE CARRÉ D'AGNEAU

Préchauffez le four à 80 °C.
Enfournez le pain d'épices pour 1 h 30. Mixez à la sortie du four et passez au tamis de façon à obtenir une poudre.
Dans un blender, mixez la poudre avec le même poids de beurre pommade. Ajoutez 1 gousse d'ail hachée ainsi qu'une pincée de sel et de poivre.
Déposez le beurre au pain d'épices sur une feuille de papier sulfurisé. Couvrez avec une seconde feuille et aplatissez au rouleau de façon à obtenir une épaisseur de 3 mm environ. Réservez au congélateur.

Demandez à votre boucher de vous préparer le carré d'agneau : parchemin enlevé, os grattés et manchonnés, carré ficelé entre chaque côte et graisse qui recouvre le carré légèrement incisé.
Préchauffez le four à 180 °C.
Salez sur la graisse et déposez le carré dans une cocotte chaude allant au four avec un filet d'huile d'olive pour le marquer sur toutes les faces. Enfournez côté gras vers le haut pour 20 min.
Débarrassez le carré dans un plat allant au four. Enlevez délicatement les ficelles.
Taillez une grosse bande de beurre au pain d'épices congelée de la taille du carré d'agneau et déposez celle-ci sur le carré côté gras. Enfournez le plat en position gril de façon à faire gratiner le beurre au pain d'épices pendant quelques minutes.

Réchauffez la purée. Découpez les côtes une à une dans le carré, servez avec la purée.

Céleri rémoulade, aïoli à l'encre de seiche

Céleri rémoulade, aïoli à l'encre de seiche

Préparation : 30 min

INGRÉDIENTS POUR 4 PERSONNES

1 céleri-rave (environ 500 g)
1 citron jaune
1 c. à c. de piment d'Espelette
1 jaune d'œuf
50 g de crème liquide à 35 % de MG
1 c. à s. de moutarde
1 gousse d'ail hachée
10 cl d'huile de tournesol
1 petit paquet d'encre de seiche
Persil plat
Huile d'olive

RÉALISATION

Épluchez le céleri-rave au couteau puis râpez-le ou taillez de fines tranches à la mandoline puis les tranches en fins bâtonnets. Versez le jus du citron sur le céleri, 3 c. à s. d'huile d'olive et saupoudrez d'une belle pincée de sel, de poivre et de piment. Mélangez et réservez au frais.

Dans un saladier, déposez le jaune d'œuf, la crème liquide, la moutarde, la gousse d'ail hachée, l'huile de tournesol, l'encre de seiche, 1 c. à s. de jus de citron et une pincée de sel. Mixez de façon à monter le tout comme une mayonnaise. Rectifiez l'assaisonnement. Réservez dans une poche à douille.

Tapissez 4 assiettes de céleri. Donnez une forme ronde à l'aide d'un emporte-pièce, déposez des points d'aïoli dessus. Ajoutez quelques petites feuilles de persil plat, un filet d'huile d'olive et une pincée de piment.

Chou farci aux légumes

Chou farci aux légumes

Préparation : 1 h Cuisson : 1 h 40

INGRÉDIENTS POUR 8 PETITS CHOUX FARCIS

1 chou de Pontoise d'environ 1 kg
300 g de champignons de Paris
200 g de mie de pain
250 g de crème liquide à 35 % de MG
2 œufs
2 gousses d'ail
1 échalote
½ botte de persil
1 L de bouillon de légumes
1 c. à s. de vin blanc
Huile d'olive
Piment d'Espelette

RÉALISATION

Effeuillez les premières feuilles de chou (environ une dizaine).
Blanchissez-les dans un grand volume d'eau salée bouillante pendant 3 min et déposez-les aussitôt dans un saladier d'eau glacée avant de les sécher dans du papier absorbant.
Émincez le reste du chou et faites-le cuire dans une casserole avec un peu d'huile d'olive.
Assaisonnez de sel, de poivre et de piment. Une fois le chou cuit, réservez-le.

Hachez grossièrement les champignons et faites-les cuire dans une poêle avec un filet d'huile d'olive. Salez et réservez-les quand ils sont cuits.

Trempez la mie de pain en morceaux dans la crème. Déposez les morceaux imbibés dans un saladier. Ajoutez les œufs, les gousses d'ail hachées, l'échalote et le persil ciselés, le chou et les champignons cuits. Salez, poivrez et mélangez soigneusement cette farce à la main.

Sur le plan de travail, étalez 2 carrés de film alimentaire croisés l'un dans l'autre. Déposez 1 feuille de chou ou 2 si elles sont petites au centre du carré et déposez de la farce au milieu de la feuille. Rabattez les côtés et serrez le chou avec le papier film en formant une boule. Réalisez un nœud avec le film alimentaire et à l'aide de la pointe d'un couteau faites des petits trous à la surface du chou pour percer le film.

Dans une cocotte, chauffez le bouillon de légumes. Plongez les choux filmés dans le bouillon et laissez cuire 1 h à feu doux.
Préchauffez le four à 170 °C.
Sortez les choux, retirez le film alimentaire et placez-les dans un plat allant au four.
Salez et poivrez les choux, arrosez-les avec 1 c. à s. de vin blanc, et enfournez pour 30 min.

Choucroute de lieu jaune, sauce beurre blanc

Choucroute de lieu jaune, sauce beurre blanc

Préparation : 1 h Cuisson : 2 h

INGRÉDIENTS POUR 4 PERSONNES

LA CHOUCROUTE

700 g de choucroute (chou fermenté au sel)
2 oignons
2 gousses d'ail hachées
1 clou de girofle
5 baies de genièvre
10 graines de cumin
1 feuille de laurier
2 verres de vin blanc
2 filets de lieu jaune ou cabillaud sans peau d'environ 800 g
Huile d'olive

LE BEURRE BLANC

4 échalotes émincées
20 cl de vin blanc type sancerre
10 cl de vinaigre blanc
150 g de crème fraîche
400 g de beurre

RÉALISATION

LA CHOUCROUTE

Préchauffez le four à 180 °C.

Rincez bien la choucroute 3 fois de suite à l'eau claire pour ôter l'acidité puis pressez avec la paume de la main pour enlever l'humidité.

Épluchez et émincez les oignons. Dans une grande cocotte, faites-les revenir sans coloration avec un filet d'huile d'olive.

Ajoutez l'ail, les épices, le laurier et laissez cuire à feu doux quelques minutes. Ajoutez la choucroute, versez le vin blanc, 1 verre d'eau et ajoutez une pincée de sel. Couvrez la cocotte et enfournez pour 1 h 30.

Sortez la cocotte du four, assaisonnez les filets de lieu et déposez-les dans la cocotte.

Couvrez et enfournez pour 20 min. Prolongez la cuisson si le poisson ne vous semble pas assez cuit.

LE BEURRE BLANC

Dans une casserole, déposez les échalotes émincées avec le vin blanc et le vinaigre.

Cuisez à feu vif et réduisez au maximum jusqu'à ce que le liquide se soit évaporé et que les échalotes soient translucides.

Ajoutez ensuite la crème fraîche. Poursuivez la cuisson 5 min à feu doux puis ajoutez le beurre coupé en petits morceaux au fur et à mesure tout en mélangeant au fouet pour monter le beurre blanc. Passez la préparation au tamis pour enlever les morceaux. Rectifiez l'assaisonnement en sel et en poivre et réservez au chaud.

Servez la choucroute avec les filets de poisson. Versez le beurre blanc sur le poisson. Vous pouvez également ajouter des morceaux cuits de carottes et de pommes de terre.

Cordon-bleu truffé

Cordon-bleu truffé

Préparation : 40 min Cuisson : 40 min

INGRÉDIENTS POUR 2 PERSONNES

2 blancs de poulet fermier
2 c. à s. de sauce tartufata
4 tranches fines d'emmental
2 tranches de jambon blanc de pays
1 assiette de farine tamisée
3 œufs battus
1 assiette de chapelure japonaise panko
200 g de salade mesclun
Huile de friture (colza ou tournesol)

RÉALISATION

Ouvrez les filets de poulet en portefeuille. Déposez-les sur le plan de travail et couvrez d'une feuille de papier sulfurisé. Tapez les filets pour légèrement les aplatir.

Enlevez le papier, assaisonnez les filets sur les 2 faces avec du sel et du poivre. Étalez la sauce tartufata sur les filets. Déposez 2 tranches d'emmental dessus et couvrez d'une tranche de jambon.

Déposez le cordon-bleu sur du film plastique. Enveloppez-le sur lui-même en le roulant et serrez au fur et à mesure pour obtenir un beau cylindre. Répétez l'opération une seconde fois pour que le cylindre soit bien hermétique. Nouez les 2 extrémités.

Plongez les cylindres dans une eau frémissante avec un poids par-dessus (une assiette par exemple) pour qu'ils restent immergés. Laissez cuire 20 min puis débarrassez-les dans une eau glacée.

Une fois les cordons-bleus refroidis, ôtez délicatement le film plastique, roulez les cylindres dans la farine, puis dans les œufs battus et enfin dans la chapelure.

Faites frire les cordons-bleus dans un bain d'huile à environ 160 °C pendant 2 à 3 min. Détaillez les cordons-bleus en tranches et déposez-les sur un lit de mesclun assaisonné.

Crème brûlée infusée au parmesan et poivre de Kampot

Crème brûlée infusée au parmesan et poivre de Kampot

Préparation : 20 min Infusion : 1 h Cuisson : 1 h

INGRÉDIENTS POUR 4 PERSONNES

400 g de crème liquide à 35 % de MG
200 g de parmesan râpé
10 grains de poivre de Kampot
4 jaunes d'œufs
Sucre cassonade

RÉALISATION

Chauffez la crème liquide puis hors du feu, ajoutez le parmesan râpé et le poivre. Couvrez et laissez infuser pendant 1 h jusqu'à ce que la crème refroidisse.

Préchauffez le four à 120 °C.

Dans un saladier, fouettez les jaunes d'œufs puis versez la crème infusée préalablement passée au tamis. Fouettez à nouveau et répartissez dans des petits ramequins à crème brûlée.

Déposez les ramequins dans un plat allant au four, versez de l'eau à mi-hauteur des ramequins et enfournez pour 1 h à chaleur tournante.

Les crèmes doivent être tremblotantes à la sortie du four comme une texture de flan. Couvrez les ramequins de papier film et laissez reposer au frais pendant une nuit. Répartissez du sucre cassonade sur les crèmes et caramélisez au chalumeau.

Les crèmes se dégustent froides ou réchauffées au four à 120 °C pendant 6 min.

Croissant version flammekueche

Croissant version flammekueche

Préparation : 10 min Cuisson : 20 min

INGRÉDIENTS POUR 4 PERSONNES

200 g de lardons fumés
2 oignons émincés
4 croissants au beurre
350 g de crème fraîche
80 g de fromage blanc
100 g d'emmental râpé

RÉALISATION

Dans une casserole à feu vif, faites suer ensemble les lardons et les oignons. Ils ne doivent pas colorer. Si besoin, baissez le feu. Une fois les lardons et les oignons translucides, débarrassez-les dans un récipient.

Ouvrez les croissants au couteau.

Préchauffez le four à 200 °C.

Mélangez la crème fraîche avec le fromage blanc et poivrez.

Étalez la crème dans les croissants puis déposez la garniture d'oignons et lardons sur la crème. Ajoutez une partie du fromage râpé à l'intérieur des croissants puis refermez-les et répartissez le reste du fromage sur le dessus des croissants.

Déposez les croissants farcis sur une plaque de cuisson et enfournez pour 9 min.

Gromesquis de veau, sauce gribiche

Cromesquis de veau, sauce gribiche

Préparation : 40 min Cuisson : 30 min

INGRÉDIENTS POUR 4 PERSONNES

LA SAUCE GRIBICHE

1 échalote
6 cornichons
2 œufs
1 c. à s. de moutarde
30 g d'huile d'olive
1 c. à s. de vinaigre de vin rouge
1 c. à s. de câpres

LES CROMESQUIS DE VEAU

4 gousses d'ail
1 oignon
½ botte de cébette
3 œufs
50 cl d'huile de friture
400 g de veau haché
1 c. à s. de Savora®
1 c. à c. de ketchup
10 gouttes de Tabasco®
100 g de farine
300 g de chapelure fine ou panko japonaise
Huile d'olive

RÉALISATION

LA SAUCE GRIBICHE

Ciselez l'échalote. Hachez les cornichons.

Faites cuire les œufs à l'eau bouillante pendant 8 min 30. Refroidissez-les aussitôt dans l'eau froide puis écalez-les. Séparez les jaunes des blancs.

Hachez finement les blancs. Écrasez les jaunes au couteau afin d'obtenir une sorte de purée.

Mélangez cette purée à la moutarde puis incorporez doucement l'huile en fouettant. Salez, poivrez, versez le vinaigre, ajoutez les câpres, l'échalote ciselée, les cornichons et les blancs d'œufs hachés et mélangez.

LES CROMESQUIS DE VEAU

Hachez les gousses d'ail. Émincez finement l'oignon et ciselez la cébette. Battez 2 œufs en y ajoutant 2 c. à s. d'eau. Chauffez l'huile de friture à 180 °C.

Dans une casserole, avec un filet d'huile d'olive, faites revenir l'oignon et l'ail, puis ajoutez le veau haché. Faites revenir le tout 5 min à feu vif, assaisonnez puis laissez refroidir. Réservez au frais.

Quand l'ensemble est refroidi, ajoutez 1 œuf entier, la Savora®, le ketchup, la cébette et le Tabasco®. Mélangez le tout à la main et formez des petites boules.

Roulez-les dans la farine puis dans les œufs battus et enfin dans la chapelure. Faites frire les boulettes 2 min dans l'huile de friture. Déposez-les sur du papier absorbant et dégustez les cromesquis avec la sauce gribiche.

Supions farcis à la provençale

Supions farcis à la provençale

Préparation : 1 h Cuisson : 1 h 30

INGRÉDIENTS POUR 4 PERSONNES

LES SUPIONS FARCIS
8 supions entiers
2 gousses d'ail hachées
1 oignon ciselé
250 g de riz rond
20 cl de vin blanc
2 carottes taillées en brunoise (petits cubes)
1 c. à c. d'herbes de Provence
60 cl de bouillon de légumes (voir fiche recette « Bouillon de légumes »)
5 feuilles de basilic ciselées
Huile d'olive

LA SAUCE
500 g de pulpe de tomates
1 c. à s. de concentré de tomates
3 gousses d'ail hachées
1 oignon émincé
1 verre d'eau
1 branche de thym frais

RÉALISATION

LES SUPIONS FARCIS

Videz les poches de supions sous l'eau froide, retirez les nageoires. Séchez les supions sur du papier absorbant et réservez au frais.

Taillez les tentacules et les nageoires en petits morceaux et faites-les revenir dans une sauteuse chaude avec un filet d'huile d'olive. Lorsqu'ils sont légèrement colorés, retirez-les de la poêle.

Versez un peu d'huile d'olive dans la sauteuse et chauffez à feu vif. Ajoutez l'ail, l'oignon et le riz. Laissez cuire 3 min en mélangeant jusqu'à ce que les grains de riz soient légèrement translucides. Versez le vin blanc, remuez. Déposez les tentacules et les nageoires, ajoutez les carottes, les herbes de Provence. Salez, poivrez et mouillez avec la moitié du bouillon. Laissez cuire environ 15 min un peu comme un risotto en versant le reste du bouillon au fur et à mesure tout en remuant régulièrement.

Une fois le bouillon absorbé par le riz, ajoutez le basilic, rectifiez l'assaisonnement et laissez refroidir la préparation.

Farcissez les supions avec le contenu de la sauteuse à l'aide d'une poche à douille ou d'une cuillère. Fermez les extrémités avec 2 cure-dents.

LA SAUCE

Placez tous les ingrédients dans une casserole et laissez mijoter 1 h à feu doux puis mixez. Versez la sauce dans une cocotte, déposez les supions farcis, couvrez et laissez cuire à feu doux 30 min en les retournant de temps en temps.

Épaule d'agneau de 7 heures

Épaule d'agneau de 7 heures

Préparation : 20 min Marinade : 24 h Cuisson : 7 h

INGRÉDIENTS POUR 6 PERSONNES

4 c. à s. d'huile d'olive
5 gousses d'ail hachées
1 c. à s. d'herbes de Provence
1 c. à c. de piment d'Espelette
1 gigot d'agneau de 1,5 kg environ
1 verre de vin blanc
1 tête d'ail
2 branches de romarin

RÉALISATION

LA VEILLE

Mélangez l'huile d'olive avec les 5 gousses d'ail, les herbes de Provence, le piment, le sel et le poivre. Badigeonnez le gigot avec cette marinade puis déposez-le dans un plat filmé au contact et laissez reposer au frais 24 h minimum.

LE JOUR J

Préchauffez le four à 120 °C.

Dans une cocotte avec un filet d'huile d'olive, faites colorer le gigot à feu vif sur toutes les faces. Déglacez avec le vin blanc. Éteignez le feu, versez 2 verres d'eau et enfournez pendant 5 h en prenant soin d'arroser la viande avec son jus environ toutes les heures. Ôtez les gousses d'ail de la tête sans les éplucher puis ajoutez-les dans le plat avec le romarin et poursuivez la cuisson pendant 2 h.

Servez avec des tomates à la provençale.

Feuilletés saucisse de Morteau, moutarde à l'ancienne

Feuilletés saucisse de Morteau, moutarde à l'ancienne

Préparation : 20 min Cuisson : 30 min

INGRÉDIENTS POUR 4 PERSONNES

LA SAUCE MOUTARDE

1 oignon haché
25 g de beurre
15 cl de vin blanc
2 c. à s. de jus de viande (voir fiche recette « Jus de viande »)
100 g de crème fraîche
2 c. à s. de moutarde à l'ancienne

LES FEUILLETÉS

2 rectangles de pâte feuilletée
8 feuilles de sauge
4 saucisses de Morteau
1 œuf battu

LA VINAIGRETTE

1 échalote émincée
300 g de roquette rincée et séchée
Huile d'olive
Vinaigre de Xérès

RÉALISATION

LA SAUCE MOUTARDE

Dans une casserole, faites suer l'oignon avec le beurre. Versez le vin et laissez réduire à sec. Versez le jus de viande, ajoutez la crème fraîche et la moutarde.

Laissez réduire légèrement, mélangez, salez, poivrez et réservez.

LES FEUILLETÉS

Préchauffez le four à 200 °C.

Découpez des bandes de pâte feuilletée de la taille des saucisses. Déposez 2 feuilles de sauge sur chaque bande puis roulez les saucisses dans la pâte.

Badigeonnez au pinceau les feuilletés avec de l'œuf battu et enfournez pour 20 min.

LA VINAIGRETTE

Confectionnez une vinaigrette avec l'huile d'olive, le vinaigre et l'échalote. Assaisonnez la roquette avec la vinaigrette.

Servez les saucisses feuilletées avec la sauce moutarde et la salade de roquette.

Filet de veau façon Orloff, pommes boulangères

Filet de veau façon Orloff, pommes boulangères

Préparation : 20 min Cuisson : 1 h 30

INGRÉDIENTS POUR 4 PERSONNES

LES POMMES BOULANGÈRES

4 oignons émincés finement
80 g de beurre
1 kg de pommes de terre (type cheyenne ou charlotte)
1 L de bouillon de volaille
5 branches de thym frais
Huile d'olive

LE FILET DE VEAU

1 filet de veau de 1 kg environ
5 tranches épaisses d'emmental
5 tranches de jambon cru de pays
80 g de beurre
Huile d'olive

RÉALISATION

LES POMMES BOULANGÈRES

Préchauffez le four à 200 °C.

Dans une sauteuse, faites suer les oignons avec le beurre et 1 c. à s. d'huile d'olive jusqu'à ce qu'ils soient translucides et légèrement blondis.

Épluchez les pommes de terre, lavez-les et taillez-les à la mandoline en tranches fines de 2 mm environ.

Badigeonnez le fond d'un plat à gratin avec de l'huile d'olive, déposez une première couche d'oignons puis une couche de pommes de terre. Salez, poivrez et recommencez en terminant par une couche de pommes de terre. Versez le bouillon de volaille à hauteur des pommes de terre.

Ajoutez les feuilles de thym et enfournez pour 1 h 10.

LE FILET DE VEAU

Assaisonnez le filet de veau de sel et poivre. Dans une poêle chaude avec un fond d'huile d'olive, faites-le colorer sur toutes ses faces. Débarrassez-le sur une planche à découper et réalisez 5 entailles profondes sur le dessus du filet.

Dans chaque entaille, glissez 1 tranche d'emmental et 1 tranche de jambon pliée en deux. Déposez le filet sur une plaque de cuisson, ajoutez des petits morceaux de beurre sur la viande.

À 16 min de la fin de la cuisson des pommes de terre, enfournez la plaque.

Gnocchiflette

Gnocchiflette

Préparation : 30 min Cuisson : 1 h

INGRÉDIENTS POUR 4 PERSONNES

100 g de lardons
25 g de beurre
2 oignons blancs
50 g de vin blanc
1/2 reblochon
250 g de crème liquide
50 g de crème fraîche
150 g de gnocchis
Ciboulette (facultatif)

RÉALISATION

Faites suer les lardons à feu vif dans une casserole sans matière grasse. Une fois légèrement colorés, ajoutez une noisette de beurre et les oignons. Versez le vin blanc et laissez compoter le tout à feu doux pendant 30 min jusqu'à ce que les oignons soient bien confits.

Coupez le demi-reblochon en deux dans le sens de la hauteur. Coupez une des 2 moitiés en morceaux sans la croûte. Déposez-les dans une casserole, versez la crème liquide et laissez infuser à feu doux pendant 20 min environ en mélangeant souvent. Salez, poivrez, mixez et passez au tamis pour enlever les morceaux de fromage qui n'auraient pas fondu. Transvasez la crème dans une petite casserole, ajoutez la crème fraîche. Mélangez et réservez.

Cuisez les gnocchis dans une casserole d'eau bouillante salée en divisant par deux le temps indiqué sur le paquet. Coupez la seconde moitié du reblochon en morceaux en conservant la croûte.

Débarrassez les gnocchis dans la crème de reblochon. Mélangez puis versez le tout dans un plat rond. Ajoutez la compotée d'oignons et de lardons et déposez des morceaux de reblochon avec la croûte sur le dessus de la préparation.

Enfournez en position gril pour quelques minutes le temps que le reblochon soit bien gratiné. Ajoutez un peu de ciboulette ciselée si vous le souhaitez.

Gougères au vieux comté, craquelin aux herbes

Gougères au vieux comté, craquelin aux herbes

Préparation : 20 min Cuisson : 25 min

INGRÉDIENTS POUR 15 GOUGÈRES

LE CRAQUELIN AUX HERBES

50 g de parmesan râpé
75 g de chapelure fine
125 g de beurre demi-sel pommade
75 g d'herbes fraîches (persil, ciboulette, estragon...) finement hachées

LES GOUGÈRES

250 g d'eau
80 g de beurre doux
150 g de farine
3 œufs
80 g de comté de 24 mois râpé

RÉALISATION

Mixez tous les éléments du craquelin aux herbes ensemble jusqu'à l'obtention d'une pâte de couleur verte. Étalez cette pâte entre 2 feuilles de papier sulfurisé. Débarrassez au frais.

Préchauffez le four à 180 °C.

Dans une casserole, chauffez l'eau avec le beurre doux et 2 pincées de sel.
Quand le beurre est fondu et que le mélange commence à bouillir, retirez la casserole du feu et versez la farine. Mélangez énergiquement à la spatule et replacez la casserole sur feu moyen pendant quelques minutes en remuant toujours pour dessécher la pâte et obtenir une consistance qui se détache de la casserole sans coller à celle-ci. Hors du feu, ajoutez les œufs, le comté, poivrez et mélangez de nouveau.

Reprenez la pâte de craquelin aux herbes, retirez une couche de papier délicatement et découpez 15 ronds à l'aide d'un emporte-pièce. Laissez au frais pour que le craquelin durcisse.

Versez la pâte à gougères dans une poche à pâtisserie et pochez les choux sur 3 cm de diamètre sur une plaque de cuisson couverte de papier sulfurisé.

Déposez un disque de craquelin aux herbes sur chaque chou.
Enfournez pour 22 min. À la sortie du four, laissez refroidir les gougères sur une grille.

Hachis Parmentier végétarien

Hachis Parmentier végétarien

Préparation : 1 h Cuisson : 2 h 25

INGRÉDIENTS POUR 4 PERSONNES

LES CHAMPIGNONS CONFITS

1 kg de pleurotes
3 carottes
1 oignon
2 gousses d'ail
2 c. à s. de persil ciselé
½ c. à s. de paprika en poudre
1 c. à c. d'origan séché
1 c. à c. de sauce barbecue
2 verres d'eau
Huile d'olive

LA PURÉE

1 kg de pommes de terre à purée
100 g de crème liquide à 35 % de MG
200 g de comté râpé

RÉALISATION

LES CHAMPIGNONS CONFITS

Nettoyez et hachez grossièrement les pleurotes. Épluchez les carottes et l'oignon et taillez-les en petits cubes. Épluchez et hachez les gousses d'ail.

Dans une cocotte ou une grande casserole, versez un filet d'huile d'olive. Chauffez à feu vif et ajoutez les champignons. Faites colorer 10 min environ en remuant puis ajoutez les carottes, l'oignon, l'ail et toutes les herbes et épices.

Poursuivez la cuisson 10 min environ puis versez la sauce barbecue, l'eau et assaisonnez.

Laissez compoter à feu doux pendant 1 h jusqu'à ce que tous les éléments soient confits. Si la préparation sèche au cours de la cuisson, n'hésitez pas à ajouter un peu d'eau de temps en temps.

LA PURÉE

Épluchez les pommes de terre. Déposez-les dans une grande casserole d'eau froide salée. Portez à ébullition et laissez cuire 40 min environ. Quand la pointe d'un couteau ressort facilement d'une pomme de terre, c'est que c'est cuit.

Écrasez les pommes de terre à la fourchette ou au presse-purée. Dans un saladier, déposez la purée, versez la crème liquide, ajoutez la moitié du comté râpé, poivrez et mélangez.

Préchauffez le four à 180 °C.

Dans un plat allant au four, versez un filet d'huile d'olive dans le fond. Déposez une couche de champignons confits puis étalez la purée dessus puis la seconde moitié du comté râpé. Salez, poivrez et enfournez pour 25 min.

Madeleines salées, thym et fromage

Madeleines salées, thym et fromage

Préparation : 10 min Réfrigératioon : 6 h Cuisson : 15 min

INGRÉDIENTS POUR 15 MADELEINES

345 g de farine
1 sachet de levure chimique
10 cl de lait
160 g de beurre fondu
20 g d'huile d'olive vierge extra
4 œufs
60 g de parmesan râpé
60 g de chèvre frais émietté
10 branches de thym frais
Beurre pour graisser les moules
Fleur de sel

RÉALISATION

Dans un saladier, mélangez au fouet la farine, 3 pincées de sel et la levure chimique. Versez le lait, le beurre fondu et l'huile d'olive. Mélangez et ajoutez au fur et à mesure les œufs. Mélangez énergiquement. Ajoutez le parmesan râpé, le chèvre frais et quelques feuilles de thym. Couvrez le saladier d'un film alimentaire et placez au frais au minimum pendant 6 h.

Préchauffez le four à 200 °C.

Versez la préparation dans une poche à douille et garnissez des moules à madeleine préalablement beurrés.
Décorez avec quelques petites feuilles de thym dessus et enfournez pour 13 min.

À la sortie du four, versez un filet d'huile d'olive sur les madeleines et saupoudrez de fleur de sel.

Gratin dauphinois au mont d'or

Gratin dauphinois au mont d'or

Préparation : 15 min Cuisson : 1 h 40

INGRÉDIENTS POUR 2 PERSONNES

500 g de pommes de terre à chair ferme
1 gousse d'ail
25 g de beurre
25 cl de lait entier
125 g de crème liquide à 35 % de MG
1 pincée de noix de muscade
1 mont d'or sorti de sa boîte

RÉALISATION

Épluchez les pommes de terre. Taillez-les à la mandoline en fines tranches de 3 mm d'épaisseur. Réservez-les dans un saladier d'eau froide.
Épluchez la gousse d'ail. Frottez le fond d'un plat avec l'ail puis beurrez généreusement.

Dans une casserole, chauffez légèrement le lait avec la crème et la noix de muscade.

Sortez les tranches de pommes de terre du saladier d'eau. Séchez-les grossièrement sur du papier absorbant puis déposez une première couche de tranches au fond du plat en les faisant se chevaucher. Assaisonnez de sel et de poivre. Répétez l'opération une seconde fois et assaisonnez.

Préchauffez le four à 160 °C.

Découpez le chapeau du mont d'or. Conservez le cœur du fromage pour une autre préparation.

Versez délicatement le contenu de la casserole sur les pommes de terre de façon à les recouvrir et enfournez pour 1 h 10.

Une fois les pommes de terre cuites, récupérez-les à l'aide d'une écumoire en évitant de prendre du liquide. Déposez les tranches dans la boîte de mont d'or vide. Couvrez avec le chapeau du fromage et enfournez la boîte à 180 °C pour 30 min.

Navarin d'agneau, citron confit et olives

Navarin d'agneau, citron confit et olives

Préparation : 30 min Cuisson : 1 h 30

INGRÉDIENTS POUR 4 PERSONNES

1 kg de morceaux d'épaule d'agneau légèrement dégraissée
1 c. à s. de farine
20 cl de vin blanc
400 g de pulpe de tomates
1 bouquet garni
2 gousses d'ail épluchées
40 g d'écorces de citron confit
80 g d'olives vertes dénoyautées
1 botte de carottes fanes
3 navets
100 g de petits pois frais écossés
200 g de pois gourmands
Huile d'olive

RÉALISATION

Dans une cocotte, faites suer les morceaux d'agneau à feu vif avec de l'huile d'olive. Lorsque la viande est bien marquée, baissez à feu doux et saupoudrez la viande de farine.

Mélangez, versez le vin blanc et 3 verres d'eau. Ajoutez la pulpe de tomates, le bouquet garni, les gousses d'ail, les écorces de citrons confits et les olives. Salez, poivrez et laissez mijoter à feu doux 40 min en mélangeant de temps en temps.

Blanchissez à côté les petits pois et les pois gourmands puis ajoutez-les, avec les carottes et les navets, au reste de la préparation.

Poursuivez la cuisson 20 min toujours à feu doux.

Œufs mayonnaise, crispy bacon et sauge

Œufs mayonnaise, crispy bacon et sauge

Préparation : 15 min Cuisson : 30 min

INGRÉDIENTS POUR 4 PERSONNES

8 œufs
1 botte de persil plat
2 bottes de ciboulette
45 cl d'huile de tournesol
1 jaune d'œuf
30 g de moutarde
1 c. à s. de vinaigre de vin
8 tranches fines de bacon ou de lard
1 botte de sauge
Huile de friture
Fleur de sel

RÉALISATION

Faites cuire les 8 œufs dans une casserole d'eau bouillante pendant 8 min 30 puis refroidissez-les aussitôt dans une eau glacée. Écalez-les puis taillez-les en deux sur la longueur et réservez-les au frais.

Dans une casserole d'eau bouillante salée, blanchissez pendant 30 s le persil avec ses tiges et la ciboulette puis refroidissez-les aussitôt dans une eau glacée. Pressez-les pour en extraire le jus puis mixez-les avec l'huile de tournesol. Une fois bien mixée, passez la préparation au tamis fin ou avec un petit linge pour en extraire seulement l'huile verte.

Réalisez une mayonnaise avec le jaune d'œuf, la moutarde et le vinaigre de vin mélangés. Salez, poivrez puis montez la mayonnaise en incorporant petit à petit l'huile aux herbes. Réservez.

Préchauffez le four à 160 °C.

Déposez les tranches de bacon ou de lard sur une plaque de cuisson recouverte de papier sulfurisé et faites-les sécher environ 18 min au four afin d'obtenir une texture croustillante.
Faites frire les feuilles de sauge 20 s dans un petit bain d'huile de friture à 180 °C puis débarrassez-les sur du papier absorbant.

Pour le dressage, commencez par réaliser des points de mayonnaise sur l'assiette. Déposez les moitiés d'œuf sur chaque point de mayonnaise. Assaisonnez-les avec une pointe de fleur de sel, déposez les feuilles de sauge frites et le bacon croustillant dessus.

Œufs meurette forestiers

Œufs meurette forestiers

Préparation : 15 min Cuisson : 30 min

INGRÉDIENTS POUR 4 PERSONNES

2 échalotes
1 gousse d'ail
100 g de champignons de Paris
50 g de beurre
100 g de lardons fumés
1 c. à s. de farine
50 cl de vin rouge
2 branches de thym frais
20 g de sucre
2 pincées de ciboulette ciselée
100 g de pleurotes rincés et séchés
2 c. à s. de vinaigre blanc
4 œufs
Huile d'olive
Croûtons

RÉALISATION

Épluchez et émincez les échalotes et la gousse d'ail. Taillez les champignons de Paris en gros morceaux.
Dans une poêle chaude avec une noix de beurre, colorez les échalotes, l'ail, les champignons et les lardons.
Une fois l'ensemble légèrement coloré, ajoutez la farine et mélangez jusqu'à ce qu'elle blondisse.
Versez le vin, ajoutez les branches de thym frais, salez, poivrez et sucrez pour casser l'acidité.
Laissez mijoter la préparation à feu doux pendant 30 min environ en mélangeant souvent jusqu'à l'obtention d'une sauce légèrement sirupeuse. Ajoutez une noix de beurre en mélangeant pour napper la sauce et ajoutez la ciboulette.

Poêlez les pleurotes dans une poêle chaude avec un peu d'huile d'olive et une noix de beurre, à feu vif pendant 3 min en remuant constamment. Réservez.

Chauffez une petite casserole d'eau. À frémissement, versez le vinaigre blanc. Cassez les œufs un à un et déposez-les délicatement dans la casserole, à l'aide d'une cuillère à soupe puis ramenez le blanc de l'œuf au jaune pour qu'il ne s'éparpille pas trop. Laissez cuire environ 1 min 30 jusqu'à ce que le blanc soit cuit, mais le jaune toujours liquide.
Récupérez les œufs à l'aide d'une écumoire et déposez-les sur une assiette.

Répartissez le contenu de la poêle dans les assiettes. Ajoutez un œuf au milieu et entourez la préparation de pleurotes. Ajoutez de la ciboulette ciselée, et des croûtons pour apporter du croustillant.

Ma version des œufs à la coque

Ma version des œufs à la coque

Préparation : 20 min Cuisson : 15 min

INGRÉDIENTS POUR 4 PERSONNES

400 g de pain de campagne rassis (croûte et mie)
50 g de beurre doux
300 g de crème liquide à 35 % de MG
10 cl de lait
8 œufs
100 g de lard fumé coupé en petits cubes
200 g de petits pois frais écossés

MATÉRIEL

Un cuiseur à œufs
Un siphon avec 2 cartouches de gaz

RÉALISATION

Coupez le pain en gros morceaux. Faites-les rôtir dans une casserole avec une belle noix de beurre et du sel. Une fois le pain coloré et grillé, versez la crème et le lait. Portez à ébullition puis hors du feu, déposez un couvercle et laissez infuser au moins 10 min. Mixez la préparation, passez au tamis, rectifiez si besoin l'assaisonnement et versez dans le siphon.

Ôtez le chapeau des œufs à l'aide d'un petit couteau ou d'un toqueur à œuf. Retirez délicatement le surplus de blanc (environ 20 % de l'œuf) en gardant bien le jaune intact à l'intérieur. Placez les œufs dans un cuiseur à œufs puis le cuiseur dans une grande casserole d'eau juste frémissante pendant environ 3 min jusqu'à ce que le blanc soit coagulé, mais le jaune toujours coulant.

Déposez les cubes de lard dans une poêle chaude et laissez colorer quelques minutes en mélangeant. Ajoutez une noix de beurre, les petits pois et versez l'équivalent d'un demi-verre d'eau. Poivrez et laissez cuire les petits pois et le lard ensemble. Rectifiez l'assaisonnement si besoin.

Déposez 1 cuillerée de petits pois et de lard dans chaque œuf. Couvrez avec la mousse de pain grillé et servez avec des petites mouillettes.

Omelette soufflée, tomme de brebis

Omelette soufflée, tomme de brebis

Préparation : 20 min Cuisson : 10 min

INGRÉDIENTS POUR 4 PERSONNES

100 g de cébette ciselée en biseau
5 œufs
1 c. à s. de Maïzena®
Le jus de ½ citron
100 g de tomme de brebis râpée
30 g de beurre fondu
Huile d'olive
Beurre pour le moule

RÉALISATION

Faites revenir la cébette dans une poêle chaude avec un filet d'huile d'olive. Une fois les biseaux légèrement translucides, mettez-les de côté.

Préchauffez le four à 170 °C.

Séparez les blancs d'œufs des jaunes. Dans un premier récipient, mélangez au fouet les jaunes avec la Maïzena®. Dans un second récipient, montez les blancs en neige, en incorporant 1 c. à c. d'eau et le jus de citron. Une fois les blancs bien fermes, incorporez les jaunes, la cébette, la tomme de brebis, le beurre et assaisonnez de sel et de poivre. Remuez délicatement à la maryse pour avoir un mélange aérien et homogène.

Versez la préparation dans un moule préalablement beurré ou dans une poêle allant au four et enfournez pour 8 min.

À la sortie du four, coupez des parts directement dans le moule et dégustez.

Pain perdu gourmand au cheddar

Pain perdu gourmand au cheddar

Préparation : 20 min Trempage : 8 min Cuisson : 15 min

INGRÉDIENTS POUR 4 PERSONNES

2 œufs
25 cl de lait
1 pincée de noix de muscade en poudre
200 g de cheddar râpé
4 tranches de pain de mie épaisses ou de pain de campagne
70 g de beurre
½ botte de ciboulette ciselée

RÉALISATION

Dans un saladier, mélangez les œufs, le lait, la noix de muscade, 80 g de cheddar. Ajoutez 2 pincées de sel et de poivre.

Trempez les tranches de pain dans le saladier, 4 min de chaque côté.

Dans une poêle chaude avec le beurre, poêlez les tranches de pain 2 min sur chaque face. Déposez les tranches sur une plaque de cuisson, répartissez dessus le restant de cheddar et enfournez en position gril pour 7 min de façon à avoir un bel effet gratiné sur le pain.

À la sortie du four, ajoutez un peu de ciboulette sur le pain.

Pissaladière croustillante

Pissaladière croustillante

Préparation : 30 min Cuisson : 1 h

INGRÉDIENTS POUR 4 PERSONNES

LA GARNITURE
1 kg d'oignons doux
2 gousses d'ail
100 g d'anchois à l'huile d'olive
1 petit bouquet de thym frais
50 g d'olives noires de Nice dénoyautées
Feuilles de thym
Huile d'olive

LA PÂTE
5 rectangles de pâte filo
Piment d'Espelette

RÉALISATION

LA GARNITURE
Épluchez et émincez les oignons et les gousses d'ail en tranches fines.

Dans une casserole, versez un peu de l'huile des anchois et un filet d'huile d'olive. Faites revenir les oignons à feu doux jusqu'à ce qu'ils deviennent translucides, mais sans qu'ils ne colorent. Versez 1 demi-verre d'eau et ajoutez le thym frais.

Couvrez et laissez mijoter à feu très doux pendant 30 min environ en remuant régulièrement.

Retirez le couvercle, poursuivez la cuisson 10 min à feu moyen pour laisser l'humidité des oignons s'évaporer. Poivrez et rectifiez l'assaisonnement en sel si besoin.

Versez la préparation dans un tamis pour récupérer un peu de jus de cuisson. Ajoutez 1 c. à s. d'huile d'olive dans le jus de cuisson.

LA PÂTE
Préchauffez le four à 170 °C.

Étalez un rectangle de pâte filo sur le plan de travail. Badigeonnez au pinceau la pâte avec le jus de cuisson des oignons. Assaisonnez de sel, de poivre et de piment. Déposez une pâte filo sur la première, et collez-les bien entre elles. Répétez l'opération avec les autres rectangles de pâte pour avoir 5 couches de pâte. Coupez la pâte à l'emporte-pièce en disques de 6 à 8 cm de diamètre. Déposez les ronds de pâte sur une plaque de cuisson couverte de papier sulfurisé. Couvrez les ronds d'une feuille de papier sulfurisé puis déposez une plaque de cuisson dessus pour les aplatir et enfournez pour 12 min.

À la sortie du four, enlevez la plaque et le papier sulfurisé. Déposez une bonne c. à s. d'oignons sur les ronds de pâtes avec 2 filets d'anchois, des olives, des petites feuilles de thym frais et remettez au four 15 min.

Dégustez tiède ou froid.

Pot-au-pho

Pot-au-pho

Préparation : 20 min Cuisson : 2 h 30

INGRÉDIENTS POUR 4 PERSONNES

2 carottes
2 navets
1 kg de paleron de bœuf coupé en morceaux
2 oignons
1 bouquet garni
2 gousses d'ail
1 bâtonnet de citronnelle
1 morceau de gingembre
300 g de nouilles de riz
4 c. à s. de sauce Nuoc-mâm
1 piment vert
1 citron vert
Quelques feuilles de coriandre
Quelques feuilles de menthe

RÉALISATION

Coupez tous les légumes préalablement épluchés en morceaux de taille moyenne. Déposez les morceaux de paleron dans une marmite, mouillez avec 3 L d'eau. Ajoutez 3 pincées de sel et portez à ébullition en écumant régulièrement les impuretés. Ajoutez les oignons épluchés, les légumes, le bouquet garni, les gousses d'ail. Laissez cuire à feu doux durant 2 h en permettant à la vapeur de s'échapper en laissant le couvercle entrouvert.
Éteignez le feu, récupérez les légumes et la viande à l'aide d'une écumoire.

Dans le bouillon, déposez le bâtonnet de citronnelle préalablement écrasé, le gingembre taillé en morceaux, et laissez infuser 30 min à couvert.

Faites cuire les nouilles de riz selon les indications sur le paquet.

Passez le bouillon dans une passoire de façon à récupérer le liquide.

Dans 4 grands bols, versez environ 3 louches de bouillon chaud, ajoutez 1 c. à s. de sauce Nuoc-mâm par bol, quelques morceaux de viande et de légumes. Parsemez le reste de coriandre et de menthe fraîches, et de fines tranches de piment vert.
Pressez un quartier de citron vert par bol pour apporter une touche d'acidité.

Poule au pot aux morilles

Poule au pot aux morilles

Préparation : 30 min Trempage : 1 h Cuisson : 2 h

INGRÉDIENTS POUR 4 PERSONNES

LA POULE AU POT

1 poule d'environ 1 kg
2 oignons épluchés et piqués de 2 clous de girofle
3 gousses d'ail
1 bouquet garni (thym, laurier, persil, romarin)
2 poireaux
3 navets
4 carottes

LA SAUCE

130 g de morilles séchées
60 g de beurre
2 échalotes ciselées
10 cl de Noilly Prat
100 g de jus de viande (veau ou volaille, voir fiche recette « Jus de viande »)
200 g de crème liquide à 35 % de MG
Quelques gouttes de jus de citron

RÉALISATION

Déposez les morilles dans un saladier. Versez de l'eau à hauteur et laissez reposer 1 h.

LA POULE AU POT

Dans une grande cocotte, déposez la poule, versez 3 L d'eau, les oignons piqués de clous de girofle, les gousses d'ail entières et le bouquet garni. Salez, poivrez et portez à ébullition à feu vif. Une fois l'ébullition atteinte, baissez le feu et laissez mijoter à court-bouillon pendant 1 h.

Épluchez, nettoyez et taillez les légumes en gros morceaux et ajoutez-les dans la cocotte. Poursuivez la cuisson pendant 40 min.

LA SAUCE

Passez les morilles une à une – conservez l'eau de trempage –, sous un filet d'eau froide pour ôter d'éventuels résidus. Passez l'eau de trempage dans un filtre à café et mettez-la de côté.
Dans une casserole chaude avec le beurre, faites suer les échalotes à feu doux puis ajoutez les morilles. Laissez cuire 2 à 3 min, déglacez au Noilly Prat et laissez réduire de moitié.
Versez l'eau de trempage et laissez réduire la préparation presque à sec. Ajoutez le jus de viande, la crème et laissez réduire jusqu'à avoir une bonne consistance et une belle onctuosité. Rectifiez l'assaisonnement en sel et poivre et ajoutez quelques gouttes de jus de citron.

Découpez la poule (les suprêmes et les cuisses), présentez la sauce dans un ramequin, les légumes et servez idéalement avec du riz pilaf.

Poulet rôti du dimanche

Poulet rôti du dimanche

Préparation : 30 min Cuisson : 1 h

INGRÉDIENTS POUR 4 PERSONNES

300 g de beurre pommade
½ botte d'estragon effeuillé
½ botte de ciboulette ciselée
2 gousses d'ail hachées
1 poulet fermier élevé en plein air
500 g de pommes de terre grenaille
Huile d'olive

RÉALISATION

Mixez le beurre avec les herbes et les gousses d'ail. Assaisonnez de sel et de poivre puis mettez le beurre dans une poche à douille.

Décollez sans l'enlever complètement la peau de la chair du poulet en glissant votre main depuis le cou vers le croupion en longeant les suprêmes. À l'aide de la poche à douille, garnissez l'espace entre la peau et la chair puis massez de façon à répartir correctement le beurre. Conservez un peu de beurre pour badigeonner le poulet en fin de cuisson.

Ficelez les cuisses du poulet et la partie supérieure des suprêmes afin d'empêcher que le beurre ne s'échappe pendant la cuisson.

Préchauffez le four à 210 °C.

Déposez le poulet dans un plat et badigeonnez-le d'huile d'olive.
Rincez les pommes de terre et réalisez plusieurs petites entailles façon hasselback sur chaque pomme de terre. Déposez-les dans le plat autour du poulet.

Versez 1 verre d'eau et assaisonnez généreusement de sel et de poivre.
Enfournez pour 30 min puis baissez la température à 180 °C et poursuivez la cuisson 15 min.

À la sortie du four, étalez le reste de beurre aux herbes sur le poulet et laissez reposer 15 min avant de découper et de servir.

Mini-quiches lorraines pepperoni

Mini-quiches lorraines pepperoni

Préparation : 15 min Cuisson : 30 min

INGRÉDIENTS POUR 8 PERSONNES

3 tomates cœur de bœuf
2 rouleaux de pâte brisée
6 œufs
375 g de crème liquide à 35 % de MG
22 cl de lait
1 c. à s. de mélange 4 épices
100 g de mozzarella râpée
200 g de pepperoni coupé en tranches ou tranches de chorizo
½ botte de ciboulette

RÉALISATION

Taillez les tomates en tranches. Déposez les tranches sur du papier absorbant, salez légèrement, laissez dégorger au frais.

Répartissez la pâte brisée en l'étalant dans 8 petits moules à tartelette, piquez le fond et les bords pour éviter que la pâte ne gonfle pendant la cuisson.

Préchauffez le four à 200 °C.

Dans un récipient, mélangez les œufs, la crème liquide, le lait, le mélange 4 épices et assaisonnez de sel et de poivre. Versez un peu de cette préparation dans le fond de chaque moule sur une fine couche. Ajoutez un peu de mozzarella et déposez une tranche de tomate dessus. Répartissez ce qu'il reste de la préparation et déposez des tranches de pepperoni.

Enfournez 30 min en surveillant de près la cuisson. Ajoutez une pointe de ciboulette ciselée en fin de cuisson.

Ravioles du Dauphiné, beurre de sauge, manchego râpé

Ravioles du Dauphiné, beurre de sauge, manchego râpé

Préparation : 15 min Cuisson : 10 min

INGRÉDIENTS POUR 2 PERSONNES

80 g de beurre
5 feuilles de sauge
1 plaque de ravioles du Dauphiné (dans le commerce)
80 g de noisettes torréfiées, épluchées et concassées
50 g de manchego ou comté râpé
Fleur de sel

RÉALISATION

Dans une grande poêle, faites fondre le beurre à feu doux. Déposez les feuilles de sauge. Laissez cuire quelques minutes puis éteignez le feu.

Portez une grande casserole d'eau salée à ébullition. Plongez la plaque de ravioles et laissez cuire dans l'eau salée selon le temps indiqué sur le paquet.

Rallumez le feu sous le beurre de sauge.

Récupérez les ravioles délicatement à l'aide d'une écumoire et plongez-les dans le beurre de sauge puis versez une louche d'eau de cuisson des ravioles.
Mélangez le contenu en faisant des mouvements de va-et-vient avec le manche de la poêle de façon à bien enrober les ravioles de beurre.

Poursuivez la cuisson entre 3 et 4 min jusqu'à ce que le beurre et l'eau de cuisson forment une petite sauce nappante.

Répartissez les ravioles dans 2 assiettes. Nappez-les de sauce, ajoutez dessus une petite poignée de noisettes concassées puis déposez les feuilles de sauge.

Ajoutez un peu de manchego râpé, de fleur de sel et donnez un tour de moulin à poivre.

Petits rolls de salade niçoise

Petits rolls de salade niçoise

Préparation : 30 min Cuisson : 9 min

INGRÉDIENTS POUR 4 PERSONNES

100 g de haricots verts
3 œufs
2 tomates
½ concombre
1 oignon rouge
3 salades sucrine
8 galettes de riz
32 feuilles de basilic frais
1 boîte de ventrèche de thon à l'huile d'olive
16 olives noires dénoyautées
Huile d'olive
Herbes fraîches

RÉALISATION

Faites cuire les haricots verts à la vapeur et les œufs à l'eau bouillante pendant 8 min 30. Déposez-les aussitôt dans l'eau froide puis écalez-les et taillez-les en quartiers.

Coupez les tomates en morceaux, le concombre en fines tranches et l'oignon rouge épluché en fines lamelles. Détachez les feuilles de sucrine et rincez-les.

Déposez les galettes une par une sur un torchon humidifié à l'eau tiède puis enveloppez-les avec le torchon afin de les assouplir. Elles doivent être transparentes.

Placez au centre de chaque galette, 2 à 3 feuilles de sucrine, 4 tranches de concombre, quelques morceaux de tomates, 3 quartiers d'œuf dur, des lamelles d'oignon rouge, 4 feuilles de basilic, un petit fagot de haricots verts, des morceaux de ventrèche de thon et, pour finir, des olives.
Assaisonnez le tout avec un petit filet d'huile d'olive, une pincée de sel et de poivre.

Roulez les galettes et refermez-les pour former des rouleaux. Taillez-les en plusieurs tronçons.

Dressez les tronçons sur une assiette, ajoutez quelques herbes fraîches par-dessus et dégustez ces rolls trempés dans une sauce vinaigrette maison.

Rôti de porc sauce cacahuètes

Rôti de porc sauce cacahuètes

Préparation : 20 min Cuisson : 1 h

INGRÉDIENTS POUR 4 PERSONNES

LE RÔTI

4 gousses d'ail
1 rôti de porc ficelé et non bardé d'environ 1,5 kg
10 cornichons
60 g de cacahuètes salées grossièrement concassées
Huile d'olive

LA SAUCE

1 c. à s. de moutarde de Dijon
200 g de coulis de tomates
25 cl de vin blanc
1 c. à s. de beurre de cacahuètes

RÉALISATION

LE RÔTI

Préchauffez le four à 180 °C.

Épluchez et coupez les gousses d'ail en tranches. Avec la lame d'un couteau, incisez légèrement le rôti à plusieurs endroits pour y insérer des tranches d'ail.

Badigeonnez le rôti d'huile d'olive, salez, poivrez, déposez-le dans un plat allant au four et enfournez pour 30 min.

LA SAUCE

Dans une casserole, mélangez tous les ingrédients de la sauce. Salez, poivrez légèrement et laissez mijoter à feu doux pendant la cuisson du rôti.

Sortez le plat du four, versez la sauce sur le rôti et remettez au four pour 40 min en prenant soin d'arroser le rôti avec la sauce toutes les 10 min.

DRESSAGE

À la sortie du four, coupez le rôti en tranches. Remettez-les dans le plat avec la sauce, ajoutez quelques morceaux de cornichons taillés en biseau et les cacahuètes concassées.

Salade de concombre, sauce piri-piri

Salade de concombre, sauce piri-piri

Préparation : 20 min Réfrigération : 12 h
Cuisson : 40 min Dégorgement : 30 min

INGRÉDIENTS POUR 4 PERSONNES

LA SAUCE PIRI-PIRI
2 piments oiseau frais ou séchés
1 oignon rouge
5 gousses d'ail
1 poivron rouge
100 g d'huile d'olive
1 c. à c. de poivre moulu
1 c. à s. de paprika en poudre
2 c. à s. de vinaigre de vin blanc
Le jus de 1 citron jaune

LA SALADE DE CONCOMBRE
1 concombre
150 g de crème fraîche
1 petite c. à c. de moutarde
1 c. à s. de vinaigre de vin
Le jus de ½ citron jaune
8 feuilles de menthe fraîche
½ botte d'aneth frais

RÉALISATION

LA SAUCE PIRI-PIRI
Préchauffez le four à 190 °C.
Équeutez les piments. Coupez l'oignon en morceaux. Épluchez les gousses d'ail. Coupez le poivron en gros morceaux. Déposez-les sur une plaque de cuisson ou dans un petit plat allant au four, ajoutez les morceaux d'oignon rouge, les gousses d'ail et les piments. Versez l'huile d'olive, ajoutez 3 pincées de sel, saupoudrez de poivre et de paprika. Mélangez et enfournez pour 16 min.

Versez la préparation dans un blender, ajoutez le vinaigre, la moitié du jus de citron et mixez très finement.

Débarrassez dans une petite casserole et faites mijoter à feu doux pendant environ 20 min en mélangeant régulièrement. Versez ½ tasse d'eau et l'autre moitié du jus de citron. Mélangez puis passez la préparation au tamis. Versez la sauce dans un bocal et conservez-la au frais 12 h avant dégustation.

LA SALADE DE CONCOMBRE
Lavez le concombre, taillez de très fines lamelles. Déposez les lamelles dans un récipient et faites-les dégorger au frais avec un peu de sel pendant environ 30 min.

Réalisez la sauce crémée en mélangeant tous les ingrédients sauf l'aneth.

Récupérez les tranches de concombre, ajoutez la sauce, mélangez délicatement et dressez dans une assiette avec une pointe de sauce piri-piri par-dessus qui apportera une petite touche spicy très agréable. Terminez par quelques feuilles d'aneth.

Soufflé au brillat-savarin et à l'ail noir

Soufflé au brillat-savarin et à l'ail noir

Préparation : 20 min Cuisson : 12 min

INGRÉDIENTS POUR 4 PERSONNES

70 g de beurre + 20 g pour les moules
70 g de farine + 20 g pour les moules
½ L de lait
130 g de brillat-savarin
4 gousses d'ail noir écrasées au couteau (réduites en purée)
1 c. à c. de poudre de charbon comestible ou d'encre de seiche
4 jaunes d'œufs
6 blancs d'œufs

RÉALISATION

Faites fondre le beurre à feu doux dans une sauteuse. Ajoutez la farine, mélangez et versez le lait petit à petit de façon à éviter les grumeaux. Poursuivez la cuisson en mélangeant au fouet jusqu'à ce que la sauce épaississe. Coupez le brillat-savarin en morceaux. Ajoutez les morceaux de brillat-savarin, la purée d'ail noir et la poudre de charbon à la sauce. Laissez fondre le fromage, salez, poivrez, mélangez et hors du feu, fouettez en ajoutant les jaunes d'œufs.

Montez les blancs en neige. Incorporez-en un tiers dans la sauteuse. Mélangez et ajoutez délicatement le reste au fur et à mesure à la spatule.

Préchauffez le four à 220 °C.

Beurrez et farinez 4 moules à soufflé. Garnissez-les aux deux tiers et enfournez pour 10 à 12 min.

Soupe à l'oignon gratinée au beaufort

Soupe à l'oignon gratinée au beaufort

Préparation : 20 min Cuisson : 1 h 10

INGRÉDIENTS POUR 4 PERSONNES

4 oignons doux
50 g de beurre
1 c. à s. d'huile de tournesol
4 gousses d'ail
2 branches de thym frais
1,2 L de bouillon de volaille
250 g de beaufort râpé
120 g de gruyère râpé
12 tranches de pain rassis

RÉALISATION

Épluchez et émincez les oignons. Dans une grande casserole, faites-les compoter à feu doux avec le beurre et l'huile. Épluchez et coupez en tranches fines les gousses d'ail. Salez légèrement, ajoutez, l'ail, le thym et comptez 35 min de cuisson en remuant le plus possible pour éviter que les oignons n'attachent au fond.
Versez ensuite le bouillon de volaille et poursuivez la cuisson à feu doux pendant 15 min. Retirez le thym.

Préchauffez le four en position gril.

Mélangez les 2 fromages râpés.

Répartissez le contenu de la casserole dans des ramequins. Déposez des tranches de pain rassis sur le dessus. Couvrez généreusement de fromage. Poivrez sur le fromage et gratinez au four pendant 20 min environ.

Soupe au pistou

Soupe au pistou

Préparation : 30 min Trempage : 12 h minimum Cuisson : 1 h 30

INGRÉDIENTS POUR 4 PERSONNES

LA SAUCE PISTOU

2 bottes de basilic effeuillé
½ botte de persil plat effeuillé
6 gousses d'ail hachées
50 g d'huile d'olive

LA SOUPE

250 g de haricots blancs secs
2 carottes
1 oignon rouge
2 courgettes
3 tomates
2 L de bouillon de légumes
100 g de pâtes orzo (langues d'oiseaux)
150 g de haricots verts frais équeutés

RÉALISATION

LA VEILLE

Mettez à tremper les haricots blancs dans de l'eau et conservez au frais.

LE JOUR J

LA SAUCE PISTOU

Mixez ensemble les feuilles de basilic et de persil, les gousses d'ail et l'huile d'olive.

LA SOUPE

Versez les haricots blancs dans une passoire. Dans une cocotte, ajoutez les haricots égouttés, les carottes et l'oignon rouge épluchés et taillés en cubes puis les courgettes non épluchées et les tomates taillées en gros dés. Versez le bouillon de légumes, salez, poivrez et laissez cuire 1 h 20 à feu doux en mélangeant de temps en temps.

En fin de cuisson, quand les légumes sont cuits, versez les pâtes et poursuivez la cuisson pendant 8 min. Ajoutez alors les haricots verts et comptez 6 min de cuisson supplémentaires.

Répartissez la soupe dans des bols et versez un peu de sauce au pistou à l'intérieur.

Tartare de bœuf à la brousse de chèvre

Tartare de bœuf à la brousse de chèvre

Préparation : 15 min

INGRÉDIENTS POUR 4 PERSONNES

1 échalote
1 c. à s. de câpres
5 cornichons
1 c. à s. de ciboulette
1 jaune d'œuf
1 c. à c. de sauce Worcestershire
Le jus de ½ citron jaune
350 g de filet de bœuf taillé en petits cubes
1 c. à c. d'huile d'olive
80 g de brousse de chèvre
1 c. à c. de moutarde à l'ancienne
Feuilles de basilic thaï
4 jaunes d'œufs de caille

RÉALISATION

Épluchez et ciselez finement l'échalote. Hachez les câpres. Taillez les cornichons en petits cubes et ciselez la ciboulette.

Dans un bol, mélangez le jaune d'œuf avec la sauce Worcestershire, le jus de citron puis ajoutez l'échalote, les cornichons, les câpres et la ciboulette. Salez, ajoutez les cubes de bœuf et mélangez en versant délicatement l'huile d'olive.

Dans un autre bol, mélangez délicatement la brousse avec la moutarde et ajoutez 8 feuilles de basilic ciselées.

Dressez le tartare dans un emporte-pièce au centre de l'assiette. Déposez dessus un jaune d'œuf de caille et en décoration, une feuille entière de basilic.

Servez avec une salade.

Brioche grillée, sardine marinée et crème d'Isigny

Brioche grillée, sardine marinée et crème d'Isigny

Préparation : 20 min Marinade : 3 h Cuisson : 5 min

INGRÉDIENTS POUR 4 PERSONNES

500 g de gros sel
500 g de sucre
4 sardines fraîches
1 citron vert
200 g de crème fraîche d'Isigny
8 tranches épaisses de brioche
50 g de beurre demi-sel
Branches d'aneth frais
Huile d'olive
Fleur de sel

Demandez à votre poissonnier de préparer les sardines en filets parés en conservant les mini-arêtes du milieu.

RÉALISATION

Dans un saladier, mélangez le gros sel et le sucre. Étalez-en la moitié dans un plat et déposez les filets de sardines dessus. Couvrez les filets de sardines avec le reste du mélange. Comptez 6 min et enlevez les filets. Rincez-les sous un filet d'eau froide puis séchez-les sur du papier absorbant. Déposez-les sur une plaque, versez un filet d'huile d'olive, ajoutez le zeste du citron vert et mélangez délicatement les filets pour qu'ils soient tous huilés et zestés. Laissez mariner au frais pendant 3 h minimum.

Mélangez la crème fraîche avec un filet d'huile d'olive, une pincée de fleur de sel et le jus du citron vert. Versez la crème dans une poche à douille et déposez-la au frais.

Taillez de gros rectangles épais de brioche. Réservez les chutes pour une farce ou une chapelure.

Dans une poêle chaude, faites fondre le beurre et poêlez les rectangles de brioche sur chaque face.

Déposez un filet de sardine sur chaque morceau de brioche, ajoutez un point de crème d'Isigny, des petites feuilles d'aneth sur la crème et une pointe de fleur de sel sur chaque filet de sardine.

Ratatouille en tarte Tatin

Ratatouille en tarte Tatin

Préparation : 30 min Cuisson : 1 h 15

INGRÉDIENTS POUR 4 PERSONNES

8 gousses d'ail
4 branches de thym frais
2 feuilles de laurier
2 courgettes
3 aubergines
3 poivrons rouges
20 g d'herbes de Provence
4 tomates
3 oignons
2 oignons doux
1 pâte feuilletée
Huile d'olive

RÉALISATION

Découpez l'ail, le thym, le laurier, 1 courgette, 2 aubergines, et les poivrons en morceaux et faites suer le tout dans une casserole avec un filet d'huile d'olive. Salez et poivrez. Ajoutez les herbes de Provence et laissez mijoter la ratatouille pendant environ 30 min à feu doux, en mélangeant régulièrement.

Préchauffez le four à 190 °C.

Découpez en fines lamelles les tomates, la courgette et l'aubergine restantes et les oignons.

Huilez la surface d'une poêle allant au four, déposez les lamelles de légumes en spirale en les alternant. Recouvrez ensuite avec la ratatouille puis avec la pâte feuilletée, piquez-la et enfournez 45 min.

À la sortie du four, retournez la tarte sur un plat rond et dégustez aussitôt.

Terrine de campagne à l'ail confit

Terrine de campagne à l'ail confit

Préparation : 30 min Cuisson : 2 h Repos : 24 h

INGRÉDIENTS POUR 4 À 6 PERSONNES

2 têtes d'ail
1 carotte
600 g d'échine de porc hachée
500 g de foie de porc haché
2 c. à s. de cognac ou d'armagnac
1 c. à s. de poivre concassé
1 c. à c. de piment d'Espelette
1 c. à c. de cannelle en poudre
1 œuf
1 bande de crépine à terrine
1 branche de thym
2 feuilles de laurier
Huile de tournesol

RÉALISATION

Épluchez les gousses d'ail. Dans une petite casserole, versez l'huile de tournesol, ajoutez les gousses d'ail et laissez-les confire environ 30 min à feu doux.

Épluchez et taillez la carotte en petits cubes.

Préchauffez le four à 200 °C.

Dans un grand cul-de-poule, mélangez délicatement à la spatule la viande, le foie, les gousses d'ail confites, les petits cubes de carotte, le cognac, le poivre concassé, le piment, la cannelle et l'œuf.

Tapissez un moule à terrine avec une partie de la crépine. Versez la préparation à l'intérieur, tassez bien, refermez avec les côtés de la crépine, déposez dessus le thym et le laurier. Placez au bain-marie pendant 1 h 30 à 200 °C avec un couvercle.

Laissez refroidir minimum 24 h.

Servez avec des pickles de jalapeños pour encore plus de saveur.

Tomates farcies au foie gras

Tomates farcies au foie gras

Préparation : 30 min Cuisson : 45 min

INGRÉDIENTS POUR 6 PERSONNES

LES TOMATES FARCIES

25 cl de lait
1 tranche de pain de mie
250 g de veau haché
250 g de chair à saucisse
1 œuf
150 g de petits morceaux de foie gras cru éveiné
1 gousse d'ail hachée
1 oignon haché
1 bouquet de persil ciselé
6 grosses tomates
Piment d'Espelette

LE RIZ

300 g de riz long grain
La pulpe des tomates
1 verre d'eau
Huile d'olive

RÉALISATION

LES TOMATES FARCIES

Dans un saladier, versez le lait et ajoutez le pain de mie. Écrasez le pain à la fourchette puis ajoutez le haché de veau, la chair à saucisse, l'œuf, le foie gras, l'ail, l'oignon et le persil.

Salez, poivrez, pimentez et mélangez.

Découpez le chapeau des tomates. Enlevez délicatement la pulpe et mettez-la de côté.

Farcissez les tomates avec le contenu du saladier et refermez avec les chapeaux.

LE RIZ

Préchauffez le four à 180 °C.

Dans un bol, mélangez le riz à la pulpe des tomates. Ajoutez un filet d'huile d'olive. Salez, poivrez et étalez ce mélange au fond d'un plat à gratin. Versez l'eau et mélangez le riz à la cuillère. Répartissez les tomates dans le plat, arrosez le tout d'un filet d'huile d'olive et enfournez pour 45 min.

Vérifiez que le riz ne soit pas trop sec pendant la cuisson, si besoin versez un peu d'eau. Dégustez chaud à la sortie du four.

Vol-au-vent escargots chorizo

Vol-au-vent escargots choriazo

Préparation : 30 min Cuisson : 15 min

INGRÉDIENTS POUR 4 PERSONNES

2 gousses d'ail
300 g de chorizo doux ou piquant selon l'envie
24 escargots de Bourgogne décortiqués ou en conserve
1 c. à s. de beurre
½ tasse de bouillon de volaille (voir fiche recette « Bouillon de volaille »)
2 c. à s. de ciboulette ciselée
8 petits vol-au-vent feuilletés
½ botte de persil plat
25 cl d'huile de tournesol

RÉALISATION

Hachez séparément les gousses d'ail et le chorizo le plus finement possible.

Dans une poêle chaude, faites rôtir le chorizo 3 à 4 min puis ajoutez l'ail haché. Ajoutez les escargots préalablement rincés et séchés et le beurre. Poursuivez la cuisson à feu vif pendant 5 min puis déglacez le tout avec le bouillon de volaille.
Laissez réduire 5 min à feu vif de façon à obtenir une sauce nappante.

Hors du feu, ajoutez au dernier moment la ciboulette. Garnissez les vol-au-vent en comptant 3 escargots par vol-au-vent et ajoutez une cuillerée de sauce.

Préchauffez le four à 150 °C.

Effeuillez le persil plat et déposez les feuilles dans l'huile de tournesol préalablement chauffée à 180 °C. Faites-les frire 20s.
Débarrassez-les sur du papier absorbant pour enlever l'excédent d'huile.

Déposez des feuilles frites sur chaque vol-au-vent puis enfournez 3 min afin de les réchauffer.

Servez immédiatement.